Jean-François Chabas

Le Tsar

l'école des loisirs
11, rue de Sèvres, Paris 6ᵉ

Du même auteur à *l'école des loisirs*

Collection NEUF
Asami le nageur
L'eau verte
L'étincelle
Sortilège
La toile d'argent

Collection MÉDIUM
L'ange du Namib
La boxe du Grand Accomplissement
La Charme
Le jardin de l'homme-léopard
Perce-Neige et les démons
La reine des heures
Les voyages d'Ino

ISBN: 978-2211-08840-4

© 2006, l'école des loisirs, Paris
Loi n° 49.956 du 16 juillet 1949 sur les publications
destinées à la jeunesse: septembre 2006
Dépôt légal: mars 2008
Imprimé en France par Jean-Lamour à Maxéville

Pour Alice, qui court trop vite.
(Impossible à attraper !)

1

Le Tsar a tué mon frère, alors je tuerai le Tsar.

C'est ainsi.

Au matin, j'avais discuté avec Alexandre.

– Il est ici, il est revenu de son voyage, lui avais-je dit.

Mais mon frère s'était moqué de moi.

– Est-ce que tu crois, Fédor, mon gaillard, que notre Tsar a rapporté des souvenirs de ce voyage ? Peut-être a-t-il des cadeaux pour nous ?

Alexandre ne pouvait rien prendre au sérieux. Il était beaucoup plus âgé que moi ; il avait douze ans à ma naissance, et, quand on m'avait présenté à lui tandis que je criais et bavais dans mon berceau de bouleau, il s'était exclamé :

– Impossible de faire plus horrible ! Est-ce qu'on peut l'échanger ?

Notre père lui avait donné une raclée. Des claques, il en ramassait tant qu'il en avait le cuir tanné.

Plus tard, notre mère était morte de la fièvre typhoïde ; notre père qui l'aimait énormément avait refusé de continuer à vivre dans nos monts Stanovoï. Il avait même désiré quitter la Sibérie, et voulait s'en aller seul. Nous ne pouvions y croire. Jamais Père, ni personne de notre famille, n'avait mis un pied hors de la région.

Mais mon frère et moi savions que l'entêtement était un des défauts, une des qualités peut-être, de notre clan. Père était bel et bien parti, il avait traversé à pied le grand pays, et il s'était installé à Kostroma, au nord de Moscou.

Il avait parcouru presque cinq mille kilomètres, en vingt-huit mois. Lui, le trappeur, le pêcheur, l'homme des bois et des montagnes, était devenu petit vendeur dans une mercerie. Le chagrin provoque d'étranges comportements.

Depuis lors, nous recevions une lettre par an. Je n'ai jamais revu notre père.

Les monts Stanovoï nous avaient gardés. Au départ de Père, j'avais seize ans, Alexandre vingt-huit. Nous pêchions dans la Zeïva et nous chassions pour gagner notre vie, vendant la viande ou les peaux. C'est une époque ancienne. Les rails du

Transsibérien ne seraient posés que des années plus tard, et notre région était bien isolée. La vie, très dure.

Il semblait cependant que rien ne pouvait nous faire plier, mon frère et moi. Nous appartenions à la contrée au même titre que les pierres, les arbres et les animaux. Nous n'avions besoin de rien. Nous chassions à l'arc, à l'épieu, ou nous tendions des pièges. Mais nous devions partager nos terres avec le Tsar.

2

Le Tsar. Je ne veux pas parler du souverain qui régnait à l'Ouest, que nous ne verrions jamais et qui n'avait guère d'influence sur nos contrées perdues, mais d'un tigre, un tigre sibérien immense qui tuait sans merci. Il était si grand, si cruel et omnipotent qu'on lui avait donné ce surnom. Celui qui n'a pas vu le tigre ne peut s'en faire une idée. Lorsqu'on est enfant et qu'on nous en a raconté les exploits, on tremble un peu, on se cache sous les peaux et on se croit en sûreté dans la petite maison des bois. Mais rien ne met à l'abri de l'attaque du seigneur tigre. Il est puissant, il est intelligent, il est arrogant, il est patient. S'il veut tuer, il tue.

Quand Père partageait la vie de Mère et qu'il avait encore sa raison, il m'a dit un soir :

– Si tu as peur d'une bête, un méchant ours par exemple, n'importe quelle bête en fait, imagine-la à sa naissance. Elle a été une boule de poils qui poussait de ridicules petits cris et demandait à manger à sa mère. Cela te la rendra beaucoup moins effrayante.

— Et le Tsar?

Mon père avait suspendu sa main; il taillait à la serpe la pointe d'un poteau de clôture.

— Le Tsar? Le Tsar...

Il avait les yeux perdus dans le vide.

— Le Tsar, Fédor, n'a jamais été petit. Le Tsar a toujours été là. Il nous a été envoyé par les Enfers pour éprouver notre foi.

— Mais Vladimir Khamenev a tué un tigre l'an dernier.

— Bien sûr. Bien sûr qu'on peut tuer des tigres. Mon père, ton grand-père, qu'il repose en paix, en a piégé un il y a de ça trente ans. Il est allé jusqu'à Svobodny pour vendre sa peau et gagner des tas de roubles, qu'il s'est ensuite fait voler dans un estaminet parce qu'il avait trop bu pour fêter cette aubaine. Quand il est revenu chez nous, ta grand-mère a voulu l'assommer à coups de pelle tellement elle était furieuse.

3

Notre père n'aimait pas évoquer le Tsar. Mais moi, ce n'était pas de coups de pelle que j'avais envie d'entendre parler.

— Si Grand-Père a pu piéger un tigre, le Tsar...

— Non. Celui-là, c'était un tigre normal. Rien à voir avec le Tsar. Écoute, Fédor : Kharitonov, notre voisin au nord, tu sais ? Kharitonov a vu le Tsar sauter un mur de quatre mètres avec un veau dans la gueule. Les tigres sont des fauves effrayants — et on a raison d'avoir peur. Mais le Tsar, le Tsar, Fédor, c'est encore autre chose. Un riche marchand, qui s'appelait Achinoff, est venu ici avant ta naissance pour chasser. Il avait un fusil de guerre allemand si efficace qu'il tuait d'une balle les animaux les plus énormes, comme les bœufs musqués du Nord.

— Je voudrais avoir un fusil allemand.

— C'est très cher, et même si on te l'offrait tu

n'aurais pas de quoi acheter les balles. Tu vas voir, d'ailleurs, que le fusil ne sert pas à grand-chose face au seigneur tigre. Quand Achinoff le marchand a entendu parler du Tsar, il est devenu fou d'excitation, il a dit qu'il voulait le tuer, avec son fusil allemand. Il a demandé un guide de chasse. Il payait bien, mais personne ici n'était prêt à se lancer sur les traces du Tsar. Ce n'est guère enviable d'être l'homme le plus riche du cimetière.

— Qu'est-ce qui est arrivé au marchand ?

— Oh, eh bien… Personne ne peut le dire précisément. Mais on a retrouvé le fusil allemand, beaucoup plus tard, au dégel de la troisième année qui a suivi la disparition de ce monsieur Achinoff. Le canon était tordu et il y avait des traces de griffes sur la crosse.

— Celles du Tsar ?

— Un homme qui court après la mort finit par la trouver. Au moins, le marchand a vu ce qu'il cherchait.

— Alors, Père, personne ne peut tuer le Tsar ?

— Je plains celui qui se mettrait une pareille idée en tête. Mais tu as sept ans, Fédor, et il n'est pas question de chasser autre chose que les lapins. Tu as posé les collets ?

– Oui, Père. Tout à l'heure, j'ai aussi tué une perdrix avec ma fronde.

– Tu es déjà un bon chasseur. Tu seras le meilleur.

4

Père n'était pas homme à faire de vains compliments, fût-ce à ses fils. Il avait vu juste. Je devins le plus habile chasseur de la contrée ; je ramenais plus de gibier que les rares riches qui possédaient des armes à feu. Alexandre n'était pas jaloux. Sa nature fantasque ne le poussait pas à ce genre de sentiment, et nous nous aimions autant que deux frères peuvent s'aimer, sans cette rivalité qui parfois pourrit une famille.

– Tu abats, je porte, disait-il en riant.

Il était d'une force herculéenne et tenait sans peine un chevreuil en travers de ses épaules, sur des kilomètres. Je me rappelle un daguet de cerf, qu'il a traîné en période de dégel, au moment de la débâcle de la Zelia, alors que nous étions descendus en plaine. Le lit des fleuves et des grandes rivières peut s'élargir jusqu'à mesurer cinquante kilomètres, et même alentour tout n'est que boue, le moindre pas un calvaire.

Alexandre n'avait pas lâché son daguet.

Nous étions complémentaires, jusque dans nos caractères. Il était jovial et farceur, moi, plus sombre, plus inquiet. Alexandre me rassurait sans cesse. Après la mort de Mère et le départ de Père, il m'avait maintenu à flot en plaisantant, en faisant l'idiot – il manifestait pour cela de remarquables dispositions –, mais je sais qu'il avait eu autant de peine que moi.

Il arrivait que nous discutions du Tsar quand, par exemple, nous trouvions des empreintes de tigre assez grosses pour qu'elles fussent les siennes.

– On va l'avoir, un jour, ce gros père, disait mon frère.

Je me rappelais, quant à moi, ce que racontait Père.

– Ce n'est pas une bonne idée, Alexandre.

– Tu es assez habile à l'arc pour nous abattre un éphélant.

– Qu'est-ce que c'est que ça ?

– Tu ne te souviens pas ? Solonov nous en a parlé. Il en a vu au cirque, à Blagovechtchensk. Des bêtes grises, grandes comme ça, avec deux dents comme ça, et des oreilles comme…

— Solonov ment tout le temps. Un éphélant, hein? Une bête de la taille d'une maison, hein? Il est complètement fou, ce Solonov. À force de fabriquer son mauvais alcool et de le boire...

— En tout cas, nous allons ramener la peau du Tsar.

— Tu rêves à voix haute, Alexandre. Fais-le à voix basse, s'il te plaît, pour ne pas réveiller le seigneur tigre.

5

Père n'était pas seul à avoir hérité l'entêtement de notre famille. L'idée de tuer le Tsar ne quitta plus mon frère.

Un soir, à la fin du court automne, deux jours après la chute des premières neiges, nous vîmes d'énormes empreintes de tigre que la poudreuse commençait à recouvrir.

— C'est lui, dit Alexandre.

— Il est revenu de son voyage. Il est à nouveau dans les Stanovoï.

— Tu crois qu'il nous a rapporté des cadeaux en souvenir ?

Je ne répondis pas ; je pensais qu'avec la taille des flocons et la violence de leur chute, si ces empreintes n'étaient pas encore effacées, cela voulait dire que le Tsar se trouvait là moins d'une heure auparavant. Jamais — peut-on cependant le savoir, avec ces tigres, cousins des fantômes – je ne m'étais tenu plus près de lui.

— Il faut foncer, avant que ce soit complètement recouvert. On y va, Fédor.

— Pas question.

— Fédor !

— Je n'ai que mon arc et deux flèches, toi ton couteau, et il fera nuit dans moins de trois heures. Tu es…

— Donne-moi ton arc et tes flèches.

— Ne fais pas ça, Alexandre.

— Ton arc, Fédor. Dépêche-toi.

Mon Dieu, je ne sais pas pourquoi j'ai cédé. Est-ce parce que je n'osais désobéir à mon grand frère ? J'ai tendu l'arc et le carquois.

— Tu n'as jamais su t'en servir, Alexandre.

— Pas pour tuer un oiseau. Mais le Tsar, c'est une cible.

— Alexandre, reste. Je ferai… je ferai ce que tu voudras. Ne t'en va pas.

Non, ne fais pas comme Père, pensais-je, ne me laisse pas toi aussi, et la folie de mon frère me paraissait plus manifeste encore, en cela que lui se précipitait aux trousses d'un monstre.

— Nous serons riches.

Il partait déjà, courbé sur la trace, quand j'appelai une dernière fois :

– Alexandre !

Mon frère miaula comme un chaton. C'était ainsi qu'il procédait quand nous étions enfants et qu'il voulait souligner mon jeune âge, mon impuissance. Il disparut dans une bourrasque de neige. Le Ciel m'en est témoin, pour notre grand malheur, je le savais : mon grand frère ne me répondrait plus.

6

Deux jours plus tard, je pris mon autre arc, un carquois plein, et mes deux plus solides épieux. Je mis sur mon épaule un havresac en peau de daim rempli de viande séchée, une cruche de liqueur forte, un pot de conserve de myrtilles, puis retournai à l'endroit où nous nous étions quittés, Alexandre et moi. Entre-temps, un mètre de poudreuse fine était tombé. La neige embellit la montagne, elle l'adoucit et rend différents les sentiers les plus familiers, mais c'est une douceur traîtresse, qui cache failles et crevasses. Il faut avancer en assurant son pas.

Il n'y avait plus aucune trace du passage de mon frère et du tigre. Je décidai de suivre, approximativement, la voie qu'avait empruntée Alexandre. Je ne trouvai rien. À la nuit tombante, je fabriquai une cabane avec des branches de sapin accolées au tronc d'un gros bouleau ; devant cet abri, je fis un feu d'enfer, que j'entretins avec soin. Les fauves n'aiment pas la lumière vive, même si certains d'entre eux, comme le Tsar, semblent mieux s'en accommoder. Ce tigre n'avait-il pas enlevé une enfant à l'intérieur d'une isba, quelques années auparavant ? Il avait cassé la porte, s'était jeté sur la petite fille d'un couple de pêcheurs d'esturgeons et l'avait emmenée.

Quel feu, en pleine nature, pouvait arrêter une telle créature ? Au moins, je me tenais au chaud. Mais, terrifié, je ne dormis pas et me remis en route avant le lever du soleil, dès que le ciel fut assez clair. Fort de tant d'années de traque et de piste, j'essayai de deviner quel avait pu être le cheminement du Tsar, et d'Alexandre, celui qui croyait le chasser. Le seigneur tigre ne monte que rarement très haut, en montagne. Il n'y trouve pas son compte en nourriture, et les monts Stanovoï sont bien assez vastes pour qu'il n'ait pas à rechercher l'altitude afin de trouver la paix.

— Est-ce que tu ne pouvais pas nous laisser tranquilles ? Pourquoi es-tu revenu ? marmonnai-je, mais la superstition éteignit bien vite ces paroles sur mes lèvres.

Puis je trouvai mon arc, suspendu à la basse branche d'un mélèze.

7

Il était cassé au niveau de l'attache supérieure de la corde. Quand je le décrochai, une masse de neige glissa des plus hautes branches et me tomba dessus. Je n'y pris pas garde. Couvert de poudreuse, enfoncé à mi-cuisse dans la blancheur, j'examinai mon arme, affolé, craignant d'y trouver la marque d'un croc ou d'une griffe, comme sur la crosse du fusil allemand de l'histoire que m'avait racontée mon père.

Mais l'arc était simplement cassé.

– Alexandre ! Alexandre !

Je me mis à crier de toutes mes forces. La neige éteint le bruit ; elle l'avale. Je me tus et revins à l'arc cassé. Je ne pouvais en détacher mes yeux.

– Les flèches…

Étaient-elles plantées dans le corps du Tsar ? Mon frère avait-il seulement eu le temps de les tirer ? Le tigre aime s'embusquer pour sauter sur sa proie à l'improviste. Il arrive même qu'il effectue une boucle sur son parcours, afin de se retrouver derrière celui qui s'est mis à sa poursuite.

Je continuai ma quête après avoir jeté l'arc inutilisable ; en revanche, j'avais pris en main celui que j'avais emporté, et je tenais une de mes flèches contre la poignée, parallèle à celle-ci, prête à être encochée dans la corde. Mes épieux étaient assurés sur mon dos mais j'avais pris soin qu'ils pussent rapidement se détacher.

Plus loin, sous une saillie rocheuse qui formait un large toit et laissait la terre gelée à découvert, je vis une tache noire, qui ne s'harmonisait pas avec les couleurs du lieu. Une petite tache, mais, avant d'être dessus, je savais ce que c'était : une des plumes-pennes que j'avais utilisées pour fabriquer la barbe des flèches qu'Alexandre avait prises. Une plume de queue de grand corbeau ; il n'y avait pas à s'y tromper, elle était taillée à ma façon. Mais de la hampe et du fer de la flèche, pas de trace. J'entendis soudain, dans mon dos, un bruit sec. Je me retournai, bandant mon arc dans le même temps, et lâchai mon trait sur la forme épaisse et mouvante qui se tenait à quelques mètres.

C'était un élan. Ma flèche se planta en biais, le long de sa croupe. Déjà, il s'enfuyait.

Le bruit avait été provoqué par un de ses immenses bois cognant contre un tronc de hêtre ; l'animal avait dû s'effrayer de ma présence et, voulant s'enfuir, s'était embarrassé dans les arbres. Au moins la blessure ne le tuerait-elle pas. À cet endroit de son corps, et avec le froid, les risques d'infection étaient inexistants.

En chasseur digne de ce nom, comme me l'avait appris mon père avant qu'il perdît la raison, je n'aimais pas tuer pour rien.

8

Je passai une autre journée à fouiller cette partie des Stanovoï, sans résultat. Depuis que j'avais trouvé l'arc cassé ainsi que la penne de corbeau, mon inquiétude était à son comble. Une seule chose certaine : en guise d'arme, Alexandre n'avait plus que son couteau. Face à un tigre, autant brandir une aiguille de mélèze. Je refis du feu, construisis une autre cabane. Les paroles de Père dansaient sous mon crâne : « Un homme qui court après la mort finit par la trouver. » Alexandre, mon frère, pourquoi cette inutile folie ?

Cette fois, épuisé, je m'endormis.

Le lendemain matin vit une des plus grandes terreurs de mon existence.

Tandis que je m'étirais, courbatu, engourdi par le froid, j'aperçus les empreintes. Il avait gelé si fort cette nuit-là que la neige n'était pas tombée, et la poudreuse s'était encroûtée. On voyait d'autant mieux les larges traces, qui ne ressemblaient à aucune autre : celles d'un tigre géant.

Le Tsar m'avait rendu visite. Ce démon s'était approché à deux ou trois mètres du feu, il l'avait contourné ; les empreintes venaient toucher les branches de ma cabane improvisée. Il s'était trouvé assez près pour que je fusse, si j'avais été éveillé, en mesure de toucher sa fourrure en tendant le bras.

Mais il ne m'avait pas pris.

Le froid était si vif que, malgré mon épouvante, je ranimai le feu et me tins au-dessus, en soliloquant.

— Qu'est-ce que tu veux, Tsar ? Quel est ton jeu ?

La peur fait agir de façon bien insolite. Au lieu de m'enfuir, je me rencognai dans la cabane, et me rendormis. Je fis un rêve.

Sortie des brumes, une silhouette venait à moi. On eût dit un centaure, mais c'était Alexandre, qui chevauchait le Tsar. Le grand tigre ne semblait pas s'apercevoir de la présence de mon frère sur son dos. Il marchait à la manière des tigres, sans contrainte, souple, presque ondulant malgré son énorme masse. Alexandre me fit un large salut de la main, puis miaula. Je m'éveillai ; les flammes étaient hautes encore devant la cabane. Mon sommeil n'avait duré qu'un instant.

9

Au début, il me fut facile de suivre les traces du Tsar. Mais bientôt la neige se remit à tomber, avec une telle violence que je ne voyais plus à deux mètres. Je dus m'arrêter sous un bouleau ancien, presque mort, au large tronc dont des plaques d'écorce se détachaient comme la mue d'un serpent. Je fis encore du feu, avec ces plaques sèches qui brûlaient aussi vite que de la paille. Les flammes jaunes ne réchauffèrent pas mon corps, mais mon âme, un peu. Le froid affaiblit, il ouvre la porte à la tristesse et au découragement.

— Où es-tu, mon frère ? Alexandre, mon frère…

La neige tomba dru pendant trois jours. Mes vivres s'épuisèrent. Je tuai un lièvre variable, mais il était maigre et sa chair ne me rassasia pas. Alors, je revins chez nous. Le vent, parfois, semblait m'apporter la voix de mon frère :

– Fédor! Tu me tournes le dos!

J'attendis quelques jours – je ne peux dire combien précisément, l'agitation m'avait fait perdre la notion du temps –, puis je compris que la folie s'emparerait de moi et ne me quitterait plus si je restais là à espérer le retour miraculeux de mon frère aîné. À la veille de ma dernière nuit dans la maison, le calme s'installa enfin dans mes pensées confuses et je pris ma décision. Je repartirais le lendemain pour chercher Alexandre et je ne remettrais plus un pied chez nous tant que je n'aurais pas récupéré mon frère. Ce sont les moments cruciaux d'une existence, ceux qui nous font comprendre qu'un acte à accomplir est plus important que le fait de vivre. Puisque, si l'on vit, encore faut-il savoir pourquoi et comment. Pour certains d'entre nous il est question d'honneur, de force morale; de l'image, somme toute, que l'on a de soi-même. Quant à ce qui me décida, rien n'est plus simple, je crois. Alexandre était une part de moi, nous étions siamois, partageant le même cœur.

Je rassemblai tout ce que je pouvais emporter sur mon dos qui fût transportable et utile. J'aiguisai mes armes, pris plusieurs cordes de rechange pour mon arc. Il arrive un moment où l'on affronterait le diable, n'est-ce pas?

10

Chargé comme je l'étais, il me fallut un peu de temps pour rejoindre l'endroit où j'avais perdu la trace du Tsar. Un vent violent avait transformé le paysage, formant de monstrueuses congères au flanc des collines et des contreforts des montagnes. Les Stanovoï étaient revêtus de blancheur pour de très nombreux mois. Au-dessus de ma tête passèrent en un vol désordonné des oiseaux dont je ne reconnus pas le cri ; c'était curieux, car depuis l'enfance je connaissais tous les animaux de la région, ceux de l'eau, de la terre et des airs. Je vis là un autre signe que les choses avaient changé. J'étais entré dans une nouvelle vie, celle de la traque.

Je continuai ma route ; la neige me montait à la poitrine, chaque pas coûtait un effort, et, bien que je fusse aguerri, je soufflais sous le fardeau. Est-ce que le Tsar avait suivi cette direction ?

Les vents me chuchotaient que j'étais dans le vrai.

Puis je vis la fumée, qui s'élevait depuis l'arrière d'un pic.

– Alexandre !

Je hurlai, mais me repris. J'étais au moins à une lieue de ce feu, et encore fallait-il trouver un accès pour contourner le pic qui paraissait monter à la verticale.

De fait, lorsque je fus à son pied, relevant sans cesse la tête pour ne pas perdre de vue le panache gris qui dansait au gré des rafales, la nuit tomba. Je grognai à la manière d'un ours tant la frustration était grande, mais je n'avais rien d'autre à envisager que de me construire un abri et de faire du feu, moi aussi.

Je ne dormis pas, craignant que la fumée ne disparût pendant l'obscurité, et je guettai les premières lueurs d'une aube qui ne voulait pas venir. Au milieu de cette très longue nuit, je ne pus m'empêcher de crier le nom de mon frère, Alexandre ! Alexandre ! comme le loup appelle le loup.

À la lumière mauve du rayon qui, enfin, se hissa par-delà les monts et transperça les arbres, je levai la tête vers le ciel : la fumée s'élevait toujours en un épais panache. J'en avalai de travers ma gorgée de thé, fis mon paquetage en catastrophe, et me mis en quête d'un passage qui permît de contourner le pic. La neige qui s'était amassée à sa base ne rendait pas les choses faciles, mais j'eusse été capable de creuser un tunnel. Le soleil ne s'était pas encore montré que j'avais jeté mon dévolu sur un col, qui, je n'en doutais pas, serait la bonne voie.

11

Ce n'était qu'une isba, à la forme biscornue. Sa cheminée crachait la fumée grasse. Je me tenais droit
dans la neige, à la descente du col. Une larme gela
au coin de mon œil, je l'arrachai d'un revers de gant.

– Qu'est-ce que tu espérais, Fédor, triste bouf-
fon? Alexandre serait le seul à faire du feu dans les
Stanovoï? Pauvre imbécile. Imbécile.

Je balançais sur mes jambes, tenu debout par la
neige qui m'enserrait.

– Une isba…

Mais si mon frère se trouvait, assis au chaud,
devant le feu qui brûlait dans l'âtre? Après tout,
depuis des jours et des jours je me nourrissais
d'espoir. Celui-ci n'était pas plus fou qu'un autre. Je
commençai la descente vers la petite isba aux
contours étranges.

Autour de la bâtisse, on avait pelleté récemment.
Il y avait aussi des traces de raquettes, formant un

sentier dans la neige jusqu'à un proche bosquet. Celui ou ceux qui habitaient là étaient très pauvres ou bien indifférents au confort, car à la place d'une vitre, sur la fenêtre unique, étaient tendues des peaux de poisson cousues, rendues translucides par de l'huile.

Je vins à la porte et frappai du poing. Aucun bruit ne me parvint depuis l'intérieur de l'isba.

Ne connaissant pas cette partie du nord des Stanovoï, je me demandais quels en étaient les habitants. La timidité, plus précisément ma crainte de l'inconnu, dont s'était si souvent moqué mon frère, me saisit soudain à la gorge. Mais je frappai encore, comme une brute, pour me donner de l'assurance. J'étais tout de même un chasseur armé pour tuer le tigre.

Pas un bruit. Je poussai la porte au loquet grossier ; elle s'ouvrit. Après l'éblouissement des neiges, le contraste de la pénombre fit que je ne distinguai rien que de très vagues formes. Je restai sur le seuil, laissant à mes yeux le temps de s'habituer au demi-jour.

— Est-ce que quelqu'un est là ?

Seules les flammes dansaient, au fond à droite de la seule pièce.

Je frappai mes bottes l'une contre l'autre, brossai la poudreuse qui collait au cuir de mes vêtements et j'entrai pour de bon dans l'isba.

12

Assurément, je n'avais jamais vu d'habitation plus bizarre. Des sortes de minuscules cerfs-volants, faits de papiers de couleur vive, pendaient du plafond. Les meubles étaient aussi tordus que l'isba. Pas un tabouret, un bahut, une table qui fussent d'aplomb. Sur le lit, des peaux immaculées de renards isatis cousues ensemble formaient une splendide couverture. Il fallait être fou pour utiliser les fourrures d'isatis à cette fin au lieu de les vendre. Dans leur pleine période hivernale, avec cette couleur, elles valaient une fortune. De quoi acheter mille vitres pour la fenêtre.

La pièce était très propre et sentait l'écorce de saule. Au-dessus de la cheminée au tablier de grosses pierres, il y avait un fusil d'un modèle que je n'avais jamais vu. Cependant, cela n'avait rien d'extravagant : au cours de ma vie, je n'avais pas approché plus d'une dizaine d'armes à feu. Je les admirais pour leur

pouvoir – chasser avec ces instruments pourrait mul-
tiplier les prises – mais il y avait dans leur efficacité
quelque chose qui rendait la chasse trop inégale. Il
me semblait que le gibier devait avoir sa chance.
Quant au Tsar, c'était une autre histoire.

Je décrochai l'arme du râtelier formé par des
bois de cerf rouge. Elle avait des canons jumelés. Le
métal était bronzé, avec des reflets bleutés. Le long
de la culasse, je constatai que s'inscrivait une marque
à l'évidence étrangère, que je ne pus déchiffrer, et
une date : 1864.

Le fusil avait presque vingt ans, mais il avait l'air
neuf. On voyait au premier regard que c'était une
arme de grande valeur.

– Tu me serais bien utile pour tuer le maudit
tigre…

Quand la main se posa sur mon épaule, je cra-
chai comme un lynx, laissai tomber le fusil et man-
quai m'effondrer dans le feu tout en m'efforçant de
décrocher de mon dos un de mes épieux.

– Tu aimes l'oie des moissons ? Regarde, j'en ai
pris deux. Moi, je préfère l'oie à bec court. Mais j'ai
juste des oies des moissons. Elles ont trop tardé à
migrer, celles-là. Tu les veux grillées ?

– Hein ?

Une femme minuscule me tendait les oiseaux. L'espace d'une seconde, j'avais cru que c'était un enfant, mais les rides aux coins de ses yeux, quand elle avait souri, étaient profondes.

– C'est que… C'est que…

– Tu as faim ? Tu as vu comme le temps est beau ? Tu as remarqué que la neige ne tombe plus ? C'est une bonne chose. Tu crois que c'est une bonne chose ?

Je ramassai le fusil, que je reposai sur son râtelier.

– Tu as faim ?

– Ah, euh, oui, mais, euh…

13

Le tabouret craqua sous mon poids, mais tint bon. La
femme faisait rôtir les oies qu'elle avait plumées et
vidées à la vitesse d'une experte. Je la considérai avec
moins de gêne maintenant que, affairée, elle n'avait
plus les yeux fixés sur moi. Il m'était impossible de
lui donner un âge. Sa taille était celle d'un enfant de
dix ans, sa constitution fluette, mais les muscles ner-
veux de ses avant-bras dénonçaient sa vitalité. Je ne
connaissais rien des femmes, c'est-à-dire rien du tout.
Depuis la mort de Mère, je n'avais pas adressé la
parole à l'une d'entre elles ; cependant, chez mon
hôtesse, je reconnaissais la beauté. Ses iris étaient gris
comme la brume, sa peau de pain d'épice, ses dents
petites et un peu espacées. Elle parlait sans disconti-
nuer, même quand elle ne me regardait pas, mais ce
n'était jamais que des questions.

   – Tu as chaud ? Tu veux du vin de mûre ? Tu
viens de loin ? Tu viens de loin, oui. Tu viens de

loin? Le sud? Où ça, le sud? Ton frère? Un grand homme? Tu veux dire, un homme grand, ah, ah! Un tigre? Oui, il y a des tigres. Est-ce qu'il y a des tigres?

— Vous avez vu un très grand tigre?

— Un grand tigre et un homme grand?

— Je m'appelle Fédor Vassilianenko. Mon frère, Alexandre Vassilianenko…

— Est-ce qu'il est parti pour chasser le tigre? Est-ce que tu me l'as déjà dit? Tu me l'as dit. Est-ce que je suis folle? Je serais folle? Je ne suis pas folle. Je suis folle? Est-ce qu'il n'y a pas un grand tigre? Est-ce que je me suis cachée dans un trou de roche quand il m'a vue, cachée dans un trou en mettant une grosse pierre pour bloquer l'entrée? Est-ce que le grand tigre n'a pas attendu trois jours pour me manger? Et je mourais de soif dans ce trou, est-ce que le tigre n'a pas tué une chèvre de montagne presque devant ma cachette? Est-ce qu'il n'est pas parti ensuite? Est-ce que je n'ai pas été soulagée? Soulagée?

— Vous avez vu le Tsar?

— Est-ce que c'est un bon nom pour ce tigre? C'est un bon nom. Est-ce un bon nom? Pourquoi ne l'aurais-je pas vu? Est-ce qu'il n'est pas énorme et effrayant comme un cauchemar ? J'aurais renforcé ma porte à cause de lui ?

Rien, à commencer par la fenêtre tendue de peaux de poisson, ne pouvait résister ici à la puissance du Tsar. Je finis de manger mon oie.

14

— Est-ce que je m'appelle Maria Sakhonovska ? Je m'appellerais Maria ? Est-ce que ce serait mon lit ? Est-ce que je voudrais dormir ?

La femme se déshabilla comme si elle était seule. Je détournai le regard. Je crois que je pensais à une invite. Mais lorsque je me retournai, elle s'était allongée sous les peaux d'isatis. Je restai sur place un instant, avant de m'approcher. Elle dormait déjà. Si cette petite femme vivait seule dans l'isba, elle courait bien des dangers.

Je m'assis au pied du lit pour regarder son visage détendu par le sommeil.

La femme aux questions.

Continuait-elle à s'en poser dans ses rêves ? Cette Maria Sakhonovska était difficile à saisir. Folle ? Les gens qui habitent seuls au cœur des Stanovoï ont des comportements bien à eux. Ainsi, elle avait été traquée par le Tsar. Je l'imaginai terrée dans le trou, le tigre immense rôdant, humant la chair. Trois jours durant. De quoi, en fait, rester dérangé.

— Ton frère est mort? Il est mort, n'est-ce pas? Pourquoi ne serait-il pas mort?

Ces phrases terribles de la femme aux questions me réveillèrent. Je m'étais assoupi près du feu.

— Est-ce que tu veux le venger? Est-ce que tu n'auras pas besoin de cela?

Nue, les flammes dans le dos, elle tenait dans ses petites mains le fusil au nom étranger.

— Est-ce que j'ai une boîte de cartouches au sec?

— Madame…

— Est-ce que je ne suis pas une demoiselle?

— Je n'ai pas… Mademoiselle, il me faudrait une vie pour vous rembourser cette arme.

— Plusieurs vies, plutôt, sauf si tu es très riche. Tu es très riche? C'est un fusil de prince. Est-ce que c'est un fusil de prince? Est-ce que je ne veux pas que tu abattes le grand tigre pour venger ma peur et Alexandre ton frère, l'homme grand?

— Vous êtes sûre que vous n'avez pas vu mon frère?

— Je ne l'aurais pas dit? Je l'aurais dit. Est-ce que je l'aurais dit?

– Vous avez besoin du fusil pour vous défendre. Et aussi pour chasser.

– Est-ce que c'est un calibre 16? Je ne pourrais pas l'utiliser? Est-ce que le recul ne me casserait pas l'épaule?

– Le recul?

– Est-ce que nous n'allons pas essayer ton nouveau fusil?

– D'où vient-il?

– Est-ce que j'ai envie de te le raconter? Je n'aurais pas envie de te le raconter? Est-ce que j'ai eu d'autres vies?

15

Ce fusil était un véritable canon. Le bruit des explosions déchirait le silence des neiges ; j'avais beau m'appliquer à coller la crosse contre mon épaule, ainsi que me l'avait recommandé la femme aux questions, chaque tir me faisait l'impression d'une ruade de mule dans la clavicule. J'avais d'abord visé un tronc de sapin bleu, que j'avais raté. Au deuxième coup, j'avais touché le bord du tronc et alors j'avais pu mesurer la puissance des projectiles. La balle avait emporté le bois sur toute sa largeur, et l'impact avait le diamètre d'un verre à thé.

— Est-ce qu'une bête pourrait résister à ça ? Une seule bête ? Même une baleine ?

— Baleine ? C'est un gros poisson, c'est ça ?

— Un mammifère plutôt, qui vivrait dans la mer ?

— Dans l'eau, avec des mamelles ?

— Il faudra que tu quittes les Stanovoï et que tu voyages, Fédor Vassilianenko. Le faudra-t-il ?

– Je ne veux pas quitter les monts Stanovoï. Je veux retrouver mon frère, tuer le tigre et vivre comme autrefois.

– Est-ce qu'on peut jamais vivre comme autrefois ? Le pourrait-on ? On ne le pourrait pas ? Est-ce que l'existence est pleine de malice ? Est-ce que le passé se jette à votre visage comme le grand tigre, si on va le chercher ?

En fin de matinée, je réussissais à casser une branche à trente pas, en visant comme me l'avait enseigné Maria Sakhonovska. Mes mains sentaient la poudre, une odeur forte que je n'aimais pas.

– Est-ce que c'est bien ? Ce serait bien ? Est-ce que maintenant je ne vais pas t'apprendre à nettoyer le fusil et à le mettre à l'abri du froid pour qu'il ne gèle pas ? Est-ce qu'il risque de ne plus fonctionner s'il est sale ou humide ? Il ne faudrait pas qu'il soit sale quand le tigre viendra à toi ?

– Je viendrai à lui.

– Est-ce que le tigre ne décide pas ?

– Ce n'est qu'une bête.

– Ah, ah, ah ! Fédor, tu es un enfant, oui ? Est-ce que tu ne me plais pas ?

Je crois que je rougis. Cette femme était très jolie.

16

— Maria Sakhonovska, dès que je le pourrai, je vous rapporterai votre fusil.

— Est-ce qu'on rend un cadeau ? Serait-ce une insulte ?

— Faites attention à vous, mademoiselle.

— Attention ? Est-ce que je ne fais pas toujours attention ? Est-ce que je serais encore vivante autrement ?

— Vous avez connu des princes ?

— Est-ce que tu ne dois pas te mettre en route pour faire du chemin avant la nuit ?

— Et des baleines ?

— Si j'ai connu des princes et des baleines ? Reviens me voir après que tu auras accompli ce que tu dois accomplir, oui ? Est-ce que tu dois revenir me voir ? Tu dois revenir. Est-ce que tu seras en bonne santé ? Tu ne seras pas blessé ?

— Je vous présenterai Alexandre.

Un soleil pâle ne réussissait pas à réchauffer l'air glacial. Je portais le fusil en travers de mes épaules, un gant sur le canon, l'autre sur la crosse de bois pourpre. Un daim brocard débala d'un bosquet; je fus tenté d'utiliser ma nouvelle arme, pour voir et par instinct de chasse, mais je me retins. J'avais décidé de ne m'en servir que contre le Tsar. Mes pensées, qui virevoltaient au gré de mon inquiétude, m'amenaient à croire que le destin m'avait fait croiser la femme aux questions afin qu'elle me remît le fusil magique nécessaire à tuer le tigre magique.

Mon frère aîné me manqua soudain, avec violence, une douleur semblable à l'élancement d'une dent. J'eusse aimé lui montrer ce fusil qu'il eût tant apprécié; même ses railleries – ses railleries surtout – me faisaient défaut. J'avais besoin de lui pour achever de grandir. Je jetai l'anathème sur le Tsar, qui volait aux gens leurs êtres chers, mais je me repris et me forçai à croire qu'Alexandre était encore vivant.

– Est-ce que ton frère n'est pas mort?

Je grimaçai au souvenir des mots de la femme aux questions.

– Cette sale folle.

Je continuai à marcher; les foulées adoucirent mon âme.

– Cette pauvre folle.

Quand il fut temps de m'arrêter pour le feu et l'abri, je regardai le fusil.

– Cette femme… généreuse.

17

Je passai la nuit sans me réveiller une fois. La neige ne tombait toujours pas, et le feu devant l'abri était encore rougeoyant de braises au petit matin. Les reliefs des congères avaient été arasés par un vent continu, qui n'était pas violent mais tenace. Me levant et m'étirant, je découvris un crapaud, comme collé à la basse branche d'un épicéa, abrité du vent. Il était plat et gris ; je crus qu'il était mort, mais quand je le touchai du bout du gant, le coin de son œil frémit. Les crapauds sont des animaux curieux. On dirait que certains d'entre eux peuvent survivre à tout. Le froid eût dû le transformer en pierre.

— Ta vie est simple, crapaud. Elle se suffit à elle-même. Tu n'as pas idée de ce qu'est un frère et tu ne connais pas la vengeance.

De mon pouce ganté, je lui donnai un coup. Il m'énervait, dans sa suffisance. Il ne réagit pas.

Peu de temps après que je m'étais remis en marche, je tombai sur des traces de tigre.

Je tenais le fusil collé contre ma hanche, prêt à épauler. Les traces étaient récentes, bien que déformées par les bourrasques qui fouettaient le sol.

Le tigre est plus malin que nous, parfois. Il avait accompli un détour et m'attaqua, non par l'arrière, mais par le côté, bondissant du haut d'une roche collée au flanc des monts arrondis par les neiges. Je reçus son poids sur la tête et les épaules, laissai tomber le fusil.

Le hasard me sauva. Le tigre poussa un feulement de souffrance, sauta à quelques mètres ; me mettant à genoux, je vis qu'un des épieux que je gardais sur mon dos lui avait transpercé le ventre. De la patte avant gauche, il l'arracha, mais aussitôt le sang se mit à couler en abondance de la blessure.

Le fauve releva la tête pour me regarder. Il était beaucoup trop petit pour être le Tsar, et il allait mourir d'avoir désiré me manger. Je lisais dans son regard et dans les mouvements de sa tête ce qui se passait en lui : la blessure le faisait souffrir et il songeait à s'enfuir, mais il désirait tout autant en finir avec moi.

J'épaulai le fusil et lui logeai une balle au défaut de l'épaule, le tuant net. On n'abandonne pas à son sort une bête blessée.

18

En temps normal, j'eusse écorché le tigre. Même s'il n'était pas très grand, sa fourrure d'hiver avait une belle épaisseur. Mais je n'étais pas là pour ça, je n'avais pas le temps, et la peau était beaucoup trop lourde à porter.

La viande de tigre ne se mange pas non plus. Son foie est même un poison. Cependant, je coupai ses moustaches, j'arrachai quelques dents et les griffes. Les Chinois, de l'autre côté du fleuve Amour, en dessous de nos Stanovoï, en sont très friands. Parfois, ils viennent chez nous juste pour s'approvisionner, et on peut leur vendre ces morceaux de choix.

Est-ce que le Tsar était reparti au sud, est-ce qu'il n'avait pas même traversé l'Amour ? Il pouvait être n'importe où, désormais. Le découragement me happa tandis que je quittais le cadavre du tigre.

J'avais ôté la douille, remplacée par une cartouche.

La neige revint, trois jours après que j'avais laissé seule la femme aux questions. Cette fois, elle ne s'arrêta pas de toute la semaine. Il en tomba quatre mètres. Ma progression devint impossible, je me noyais dans la poudreuse. Je réussis à trouver une grotte dont je dégageai l'entrée encombrée de pierres, et où je trouvai des loirs endormis. Je ne les touchai pas. J'avais assez de nourriture, et les tuer n'eût servi à rien. Me venait encore à l'esprit la mort inutile du petit tigre. Plusieurs fois par jour, je déblayais l'entrée de la grotte afin de n'être pas asphyxié, d'autant que le bois que j'avais trouvé, gorgé d'humidité, rendait une fumée épaisse. À la danse des flammes, je regardais les loirs. Leur léthargie me plaisait. On doit tout oublier, dans la longue nuit hiémale.

Je préférais les loirs au crapaud parce qu'ils étaient plus jolis à observer. Ainsi vont les caprices des hommes.

La neige fut relayée par un fort vent d'est ; je dus lutter pour que la grotte ne fût pas envahie par la poudreuse soufflée. En revanche, je ne pus ranimer le feu, que les rafales avaient éteint. Il n'était plus possible de rester sur place, je gèlerais à la première nuit. Alors je dis adieu aux loirs, replaçai les pierres devant l'entrée de la grotte, puis sortis dans l'océan blanc et m'efforçai d'avancer. Il fallait bouger ou mourir.

19

Qu'on demande à un Sibérien ce qu'il en coûte de combattre l'hiver quand il se déchaîne, de ne pas se terrer mais d'affronter au-dehors le géant blanc et ses légions.

Je survécus, malgré tout. Je marchai vers le nord, aux étoiles. Je sortis des monts Stanovoï et finis par atteindre une ville côtière, qui se nommait Tchoumikan. J'étais très affaibli, maigre, dépenaillé. J'eus la chance de vendre les moustaches, les griffes et les dents du tigre à des Asiatiques qui faisaient escale au port. Ce n'étaient pas des Chinois, et je ne réussis pas à comprendre d'où ils venaient précisément. Ils étaient jaunes de peau, leurs vêtements ne ressemblaient à rien de ce que j'avais connu. Le plus riche d'entre eux, celui qui de toute évidence commandait, laissait pousser l'ongle de son petit doigt à la main droite. Je me dis qu'il ne devait pas faire un sérieux travailleur, avec un ongle de cette taille.

La pièce que je reçus était en or, gravée d'étranges caractères, assez beaux bien qu'incompréhensibles, mais l'or est de l'or, partout.

Je passai de longs moments à regarder l'océan — dont un patron d'estaminet me dit qu'à cet endroit il s'appelait Okhotsk. Quand je demandai à voir les baleines, un marin du port s'esclaffa et me répondit que je n'avais qu'à m'embarquer. Je fus tenté. Mais le Tsar ne nageait pas dans l'océan.

Pour la première fois de ma vie, je dormais dans une auberge. Le bruit des buveurs, en dessous de ma chambre, me gênait la nuit. Et puis, si le tigre ne se trouvait pas dans les eaux, on ne le verrait pas plus dans les ruelles encombrées de Tchoumikan. Je devais repartir pour le sud. Une grande lassitude m'habitait, d'autant qu'à mesure que passaient les jours, au lieu de diminuer, la douleur de la perte d'Alexandre se faisait plus mordante. Il me devenait impossible de me mentir.

Lors de ma quatrième nuit à Tchoumikan, excédé par les vociférations des ivrognes, je descendis les escaliers usés de l'auberge en brandissant un épieu.

— Taisez-vous tous! Tous! Un peu de respect pour mon frère! Je tue le premier qui moufte.

Dans un silence de mort, je remontai me coucher. Le lendemain à l'aube, des policiers vinrent m'ordonner de quitter la ville. L'un d'entre eux, qui avait une moustache épaisse comme une barbe, me dit qu'il devait également confisquer mon fusil. Je lui répliquai que j'abandonnerais volontiers cette cité puante où les hommes s'entassent sur les hommes, mais que celui qui toucherait au fusil se condamnerait à souffrir mille peines. Je crois que le policier n'eut pas envie de me mettre à l'épreuve, et je m'en allai, simplement. Il n'est pas bon de vivre en si nombreuse compagnie. L'humain a besoin d'espace, lui aussi.

20

Oui, je le sais désormais, le Tsar a tué mon frère. Je marche dans les Stanovoï, après avoir passé l'hiver dans plusieurs villages où j'ai dépensé ce qui me restait de la pièce d'or entamée par les frais de l'auberge de Tchoumikan. Le Tsar a tué mon frère, alors je tuerai le Tsar. C'est ainsi.

Il y a peu j'ai vu la première fleur, un crocus violet qui dépassait d'une plaque de neige entamée par le soleil. Si le temps se maintient sans chute tardive, le printemps va s'installer et le vert va manger le blanc.

Je ne sais plus où aller. Dans le village de Sberi, on m'a décrit un tigre énorme qui a effrayé les gens, mais si c'était bien le Tsar, il est passé dans ce village plus d'un an auparavant. Où chercher ? Je franchis les cols, j'escalade les parois où la glace se fait plus friable maintenant que l'air se réchauffe.

— Où es-tu, Alexandre ? Où es-tu ?

Désormais c'est dans ma tête que je crie. À voix haute, je ne prononce plus le nom de mon frère.

Il faut que je tue le Tsar.

Hier – est-ce que c'était hier? Avant-hier? Il y a deux jours, peut-être, je perds un peu la notion du temps –, j'ai logé un de mes épieux dans le flanc d'une laie. Je lui ai parlé de mon frère tandis que je la dépouillais. Je me suis fait peur soudainement. Je commence à déraisonner. Il faudrait que je rentre chez nous, mais chez nous n'est plus que chez moi. Il faudrait, il faudrait… Je ne sais plus. Il faut que je tue le Tsar.

Je vais tout de même repasser par la maison, mais pour aller au sud, jusqu'à l'Amour, et je continuerai à questionner les gens de rencontre. Ont-ils vu un tigre géant? Le Tsar ne se cache pas; là où il passe, il sème épouvante et désolation. Gouverneur des ténèbres, c'est lui qui a tué notre mère, rendu fou notre père et enlevé Alexandre. Il commande à la neige et au vent, qui servent ses desseins, mais je suis plus fort que lui parce que je m'appelle Fédor Vassilianenko et que la vengeance me guide.

21

Demain, je serai à la maison. J'y resterai une journée ou deux, pour me reposer un peu avant de repartir au sud.

Je marche sur nos territoires habituels, ceux où mon frère et moi avons fait nos dents de chasseurs et de pêcheurs. L'air est doux, propice au rire et à la rêverie tranquille. Père, Mère, Alexandre et moi avons eu bien de la chance d'être choisis pour vivre dans un si magnifique endroit. Rien ne vaut les Stanovoï.

La neige qui les recouvrait a glissé ; les voilà, enlacés comme des amants. Mon frère tient encore le manche de son long poignard à dépecer, dont la lame est plantée à hauteur du cœur du grand tigre. Les griffes de celui-ci sont enfoncées dans le cou d'Alexandre. Ils ont dû mourir au même instant.

Si près de chez nous.

Les animaux des bois ont commencé à les manger. Embrassé par le tigre, mon frère semble bien
petit, mais il l'a tout de même vaincu à travers sa
propre mort. La belle lumière glisse sur le pelage du
Tsar, et sur les cheveux d'Alexandre, collés par la
neige mouillée. Je pose les doigts sur l'épaule de
mon frère, je les retire vite cependant. Un monde
nous sépare désormais. Alexandre ne peut plus rire
de moi, il ne sortira plus de l'eau des truites ruisselantes en poussant de grands cris, il ne fendra plus,
d'un seul coup de merlin, des billes de chêne dures
comme de la roche.

Je les ai enterrés ensemble. Pour cela, il m'a fallu
creuser juste à côté d'eux, une terre à peine dégelée. Cela m'a pris un temps infini. Il ne m'a pas
semblé juste de séparer Alexandre de sa grande victoire. Le Tsar ne mangera plus d'enfants aimés, il ne
viendra plus dans les maisons pour y chercher ceux
qui s'y réfugient, et c'est grâce à Alexandre Vassilianenko, mon frère aîné, un homme grand et un
grand homme.

Assis près du feu, je contemple le monticule des
pierres entassées par mes soins au-dessus de la tombe,
pour empêcher les animaux de déranger les morts
accolés qui, ensemble, vont se fondre à la terre. La

vengeance n'a pas de sens. La destinée s'est accom-
plie sans moi, mon frère et le tigre ont fait un petit
tour, quelques jours, l'un suivant l'autre, puis ils sont
revenus pour en finir là où tout a commencé. J'ai
divagué pour rien.

Ce soir, je n'ai construit aucun abri. Le froid est
supportable, le vent ne souffle pas, le ciel est clair, le
Tsar n'est plus. Dans les monts et les bois courent les
loups, les ours, mais eux ne sont pas effrayants.
Enfants de Mère Nature, ils accomplissent leur tâche.
Je les comprends, puisque je leur ressemble.

22

D'autres minuscules cerfs-volants de papier ont été suspendus au plafond, dans le clair-obscur.

Elle est plus menue encore que dans mon souvenir. Elle ne dit rien. Je m'assieds sur le lit aux fourrures d'isatis, je baisse la tête. Elle vient à moi et pose les mains sur ma nuque.

– Est-ce que tu es fatigué ? Ne vas-tu pas te reposer ?